D1211742

J'AIME ET
JE SOIGNE
MES

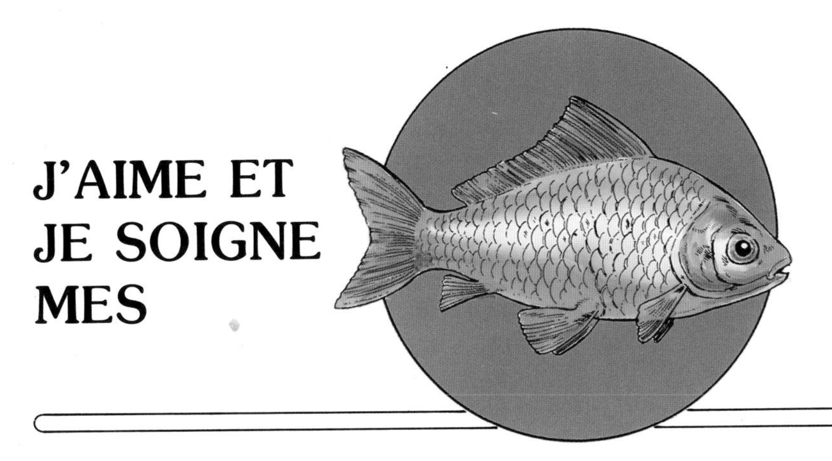

POISSONS

Joyce Pope — Jeannie Henno

Conseiller de la collection:

Michael Findlay

Éditions Gamma — Les Éditions École Active

Paris — Tournai — Montréal

L'auteur
Joyce Pope travaille au Bureau des renseignements du Musée britannique d'Histoire naturelle, et elle donne aussi de façon régulière des conférences aux enfants et aux adultes, sur des sujets très divers.

Elle fait partie de groupes de protection de la nature et a écrit de nombreux ouvrages sur différents sujets, tels que les animaux d'Europe, les animaux des villes et les animaux de compagnie. Elle aime garder chez elle des animaux familiers, et elle possède actuellement plusieurs petits mammifères, deux chiens, un chat et un cheval.

Le conseiller
Michael Findlay est un chirurgien vétérinaire diplômé, qui s'est occupé principalement d'animaux de compagnie, et il est actuellement conseiller d'une société pharmaceutique. Il s'occupe chaque année du Crufts Dog Show et est membre du Kennel Club. Il est président de plusieurs clubs félins et du Feline Advisory Bureau. Il possède actuellement trois chats siamois et deux labradors.

Remerciements
Les photographes et éditeurs tiennent à remercier madame Anne Cosnette, du Barrier Reef Aquatics de Gloucester, The Widden Primary School de Gloucester, ainsi que les familles qui ont participé aux photographies destinées à ce livre.

Des remerciements spéciaux sont dus à Brian Ward, auteur et aquariophile avisé, pour son aide dans la préparation de ce livre.

L'édition originale de cet ouvrage
a paru sous le titre : *Fish*

12a, Golden Square, London W1

Adaptation française de Jeannie Henno

D / 1988 / 0195 / 23
ISBN 2-7130-0910-3
(édition originale : ISBN 0 86313 416 5)

Exclusivité au Canada :
Les Éditions École Active
2244, rue Rouen, Montréal H2K 1L5
Dépôts légaux, 2e trimestre 1988,
Bibliothèque nationale du Québec
Bibliothèque nationale du Canada
ISBN 2-89069-157-8

Présentation générale de
Ben White

Illustrations de
Hayward Art Group

Photographies de
Sally Anne Thompson et
R T Willbie / Animal Photography

Photographies complémentaires de
Heather Angel : 16, 17, 28, 29 ;
Jerzy Gawor, 26, 27 (gauche)

Imprimé en Belgique

J'AIME ET
JE SOIGNE
MES

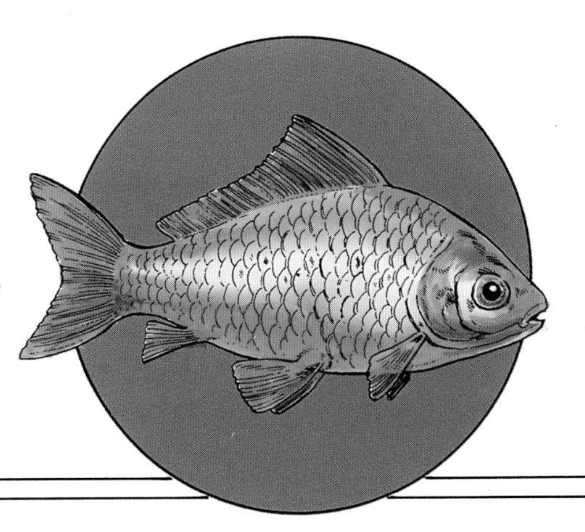

POISSONS

Sommaire

Introduction

Beaucoup de personnes aiment s'occuper d'animaux. Un animal familier peut rendre la vie plus amusante, plus intéressante. Sa présence réconforte souvent une personne seule ou malade.

Ceci est particulièrement vrai pour les poissons dont l'entretien ne demande pas beaucoup de force ou de mobilité.

▽ Les poissons d'aquarium sont de diverses espèces et proviennent de différentes parties du monde ; néanmoins, ils font souvent bon ménage ensemble, dans le même aquarium. Leur survie dans ce petit espace dépend de toi. Tu dois donc t'efforcer de leur donner ce dont ils ont besoin.

Retiens bien ceci

1 N'oublie pas qu'un poisson n'est pas un jouet, mais un être vivant.
2 Bien qu'il vive dans l'eau, il peut, comme toi, avoir faim ou peur, être content ou triste. Ne l'effraie donc pas et tâche de rendre sa vie agréable.
3 Rappelle-toi qu'un poisson dépend de toi pour vivre. Comme il est incapable de t'avertir en cas de problème, tu dois l'observer attentivement et prendre soin de lui tous les jours.

▽ Les poissons tropicaux ont absolument besoin d'un aquarium chauffé. Parmi les rares poissons qui peuvent vivre en eau froide, les poissons rouges, originaires de Chine, sont les plus connus. Il existe de nombreuses variétés de cyprins dorés — c'est le nom scientifique de cette espèce — parmi lesquelles tu pourras choisir celles que tu préfères.

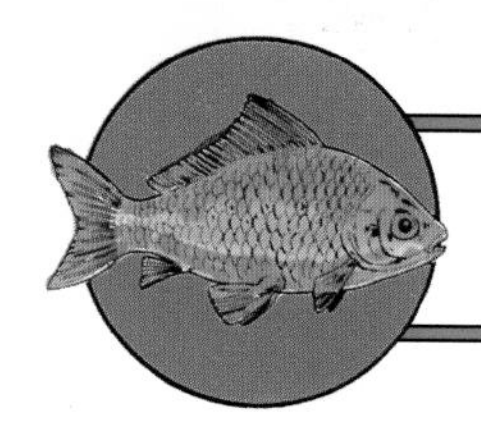

Des compagnons silencieux

Les poissons sont de parfaits compagnons pour le citadin. En effet, en ville, la place manque souvent et il est difficile de garder chez soi de grands animaux remuants, qui pourraient aussi gêner les voisins. Les poissons sont beaux, ils ne sentent pas mauvais, et ils ont surtout l'avantage d'être silencieux. En outre, la plupart ne coûtent pas cher.

◁ Un aquarium qui abrite plusieurs sortes de poissons sera d'autant plus intéressant. Demande au vendeur des conseils et choisis plusieurs espèces : certaines qui préfèrent les eaux du fond, d'autres qui vivent dans le milieu de l'aquarium et d'autres encore qui restent près de la surface. Ainsi, l'aquarium ne sera jamais surpeuplé en un endroit.

△ Comparés aux êtres humains, ou même aux chiens ou aux oiseaux, les poissons ne sont pas très intelligents. Mais ils peuvent apprendre à te reconnaître. Si tu les récompenses par un peu de nourriture, ils prendront sans doute l'habitude de venir vers toi dès qu'ils te voient. Ne te décourage pas si le temps de l'apprentissage te paraît long.

Il est facile de s'occuper des poissons quand l'aquarium est bien équipé. Ces animaux, dont les évolutions gracieuses charment les yeux, n'ont pas besoin d'exercice spécial. Autre avantage : leur nourriture ne coûte pas cher.

Certains regrettent que les poissons ne puissent être pris en main et caressés. Un poisson ne peut évidemment pas te montrer de l'affection comme le ferait un chien ou un chat, mais il peut reconnaître, à certains signes, que tu t'apprêtes à lui donner à manger. Alors, il viendra peut-être vers toi, dans un coin de l'aquarium, ou passera même la tête hors de l'eau.

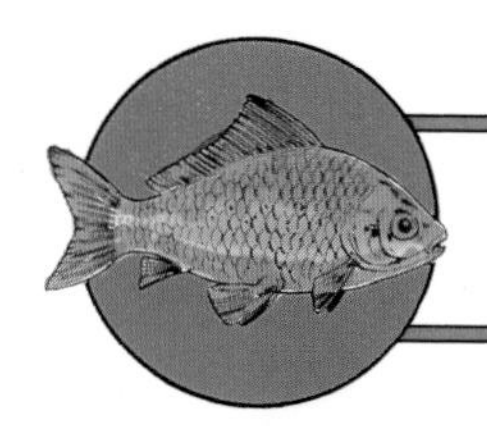

Qu'est-ce qu'un poisson ?

△ Comme tous les êtres vivants, les poissons mangent, respirent, bougent et se reproduisent. Leur sens sont les mêmes que chez l'homme : la vue, l'ouïe, le goût, l'odorat, le toucher ; ils sont parfois plus développés.

Si tu comprends bien ce qu'est un poisson et sa façon de vivre, tu sauras répondre à ses besoins. Alors tu pourras le garder chez toi comme animal familier.

Comme l'homme, le poisson est un vertébré. Mais, en fait, c'est là un des rares points communs entre l'homme et le poisson. Son existence uniquement aquatique lui a donné des caractères spéciaux et des organes très bien adaptés à son milieu. Son corps fuselé lui permet de se déplacer dans l'eau très facilement et vite.

Les poissons nagent grâce à des mouvements latéraux de la partie arrière de leur corps ; celle-ci forme une queue, qui sert de nageoire. Des nageoires disposées par paires de chaque côté du corps assurent la stabilité du poisson dans l'eau et lui permettent de freiner. Les nageoires simples du dos (ou dorsales) et du ventre (ou anales) assurent une course régulière et bien dirigée.

Les poissons respirent par des branchies qui absorbent l'oxygène de l'eau. Elles se trouvent à l'arrière de leur tête.

▽ Observe attentivement tes poissons et tu remarqueras que chacun nage d'une façon différente. Les uns, plus vifs, foncent à travers l'aquarium ; d'autres, plus nonchalants, ondulent paresseusement. Ils peuvent rester immobiles dans l'eau sans tomber au fond, grâce à une poche interne remplie d'air : la vessie natatoire ; en la contractant plus ou moins, le poisson descend ou monte.

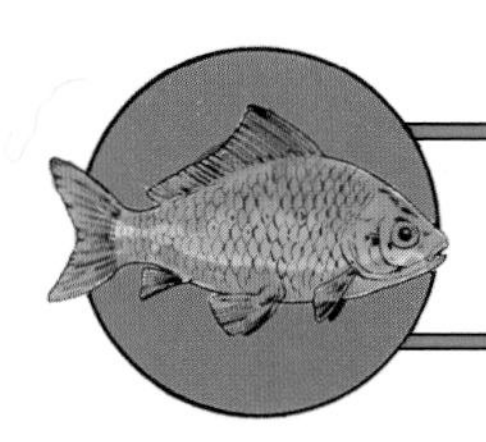

Quelques préparatifs

Si tu veux installer un aquarium, demande la permission à tes parents. Ils devront sans doute t'aider pour plusieurs choses. En outre, la facture d'électricité sera légèrement plus élevée à cause de la pompe qui envoie de l'air dans l'aquarium, et du système de chauffage qui sera peut-être nécessaire.

Il faut commencer par chercher la meilleure place pour l'aquarium. Il est difficile de garder sain un aquarium de

▽ L'aménagement d'un aquarium peut être assez coûteux ; mais s'il est bien réalisé, tes poissons n'entraîneront plus de grosses dépenses par la suite. Le couvercle est pratique, mais non obligatoire.

Voici un bon équipement : 1. Petit bac en plastique. 2. Grand aquarium en verre. 3. Pompe à air. 4. Filtre à eau. 5. Tube et équipement d'éclairage. 6. Thermomètre. 7. Thermostat. 8. Élément chauffant automatique.

poissons d'eau froide dans une maison chauffée. Pourtant, les poissons rouges et les poissons de paradis supportent bien d'y vivre, tant que la température de l'eau ne change pas brusquement. Il est plus facile d'élever des poissons tropicaux, car l'eau chauffée peut être gardée à la même température.

Plus l'aquarium sera grand, plus tu pourras avoir de poissons, dans les meilleures conditions. Attention : un aquarium empli d'eau est très lourd ; il faut parfois prévoir un support spécial. Place-le dans un endroit chaud, mais jamais en plein soleil.

▽ Pour nettoyer l'aquarium, il te faudra quelques accessoires : 1. Raclette à lame pour décoller les algues des parois. 2. Siphon pour aspirer les détritus du fond. 3. Raclettes magnétiques. 4. Système de filtrage. 5. Épuisette pour pêcher les poissons avant le grand nettoyage printanier de l'aquarium.

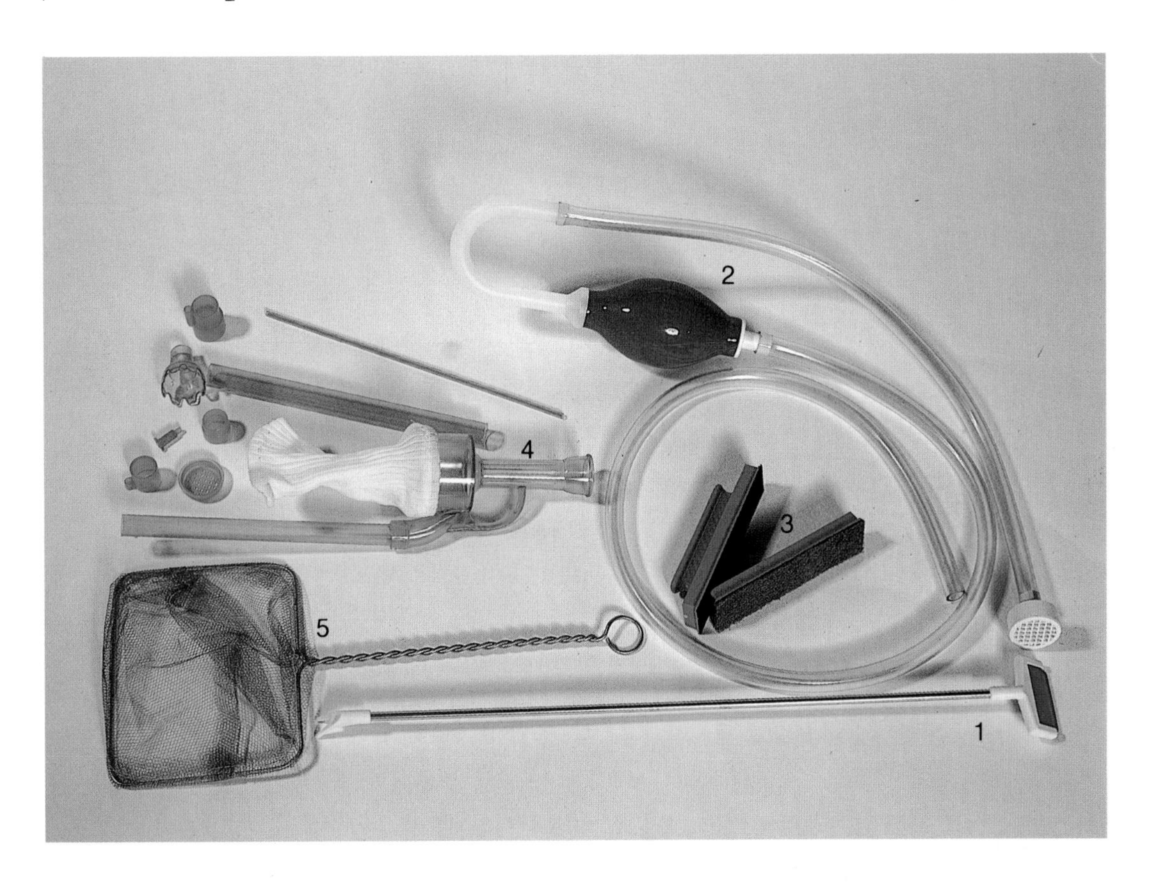

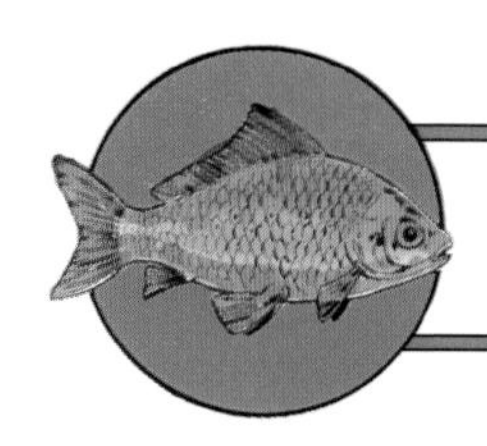

Des plantes pour l'aquarium

L'aquarium dans lequel tu placeras tes poissons sera tout leur univers. Veille donc à le rendre le plus agréable possible, pour qu'ils s'y sentent bien.

Les plantes n'augmentent pas seulement la beauté de l'aquarium, elles servent aussi d'abri aux poissons et parfois même de nourriture. De plus, elles absorbent certains déchets produits par les poissons, et elles rejettent dans l'eau de l'oxygène nécessaire à leur respiration.

△ Voici quelques plantes pour un aquarium d'eau froide :
1. cornifle,
2. élodée,
3. vallisnérie.

Introduis délicatement les racines dans le sable ou le gravier et tasse légèrement. Les grandes plantes doivent être maintenues à l'aide de pierres.

Dans un aquarium gardé à l'intérieur de la maison, la température de l'eau est souvent trop élevée pour les plantes qui poussent dans les eaux froides. Tu devras probablement acheter des plantes spéciales qui poussent en eau tiède.

Même si tu décides d'élever des poissons d'eau froide dans un bassin du jardin, n'y mets pas de plantes récoltées dans les cours d'eau ou les étangs voisins, car elles pourraient contenir des animalcules qui provoqueraient des maladies chez tes poissons.

Achète plutôt dans les magasins spécialisés des plantes parfaitement saines et adaptées à la température de l'eau.

△ Il est possible d'acheter un aquarium d'eau chaude déjà garni de diverses plantes. Le vendeur pourra te conseiller utilement.

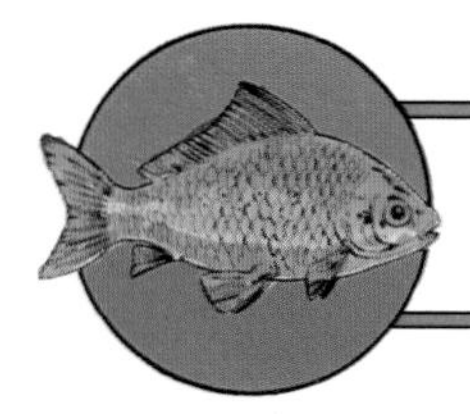

L’aménagement de l’aquarium

▷ La couche de sable ou de gravier sera plus épaisse à l’arrière de l’aquarium, ce qui te permettra de mieux voir ce qui s’y passe.

L’aquarium doit être préparé complètement et rempli d’eau plusieurs jours avant que tu n’y places tes poissons. Ceci permettra au chlore, un gaz présent dans l’eau du robinet et nuisible aux poissons, de s’évaporer.

Pendant quelques jours, tu auras aussi le temps de contrôler si la pompe à air, l’éclairage, le chauffage et le filtre fonctionnent bien. Les plantes mises en place pourront s’habituer à leur nouvel environnement et commencer à se fixer, avant que les poissons ne les bousculent.

◁ En remplissant le bac d'eau, il faut éviter de déranger le sable du fond. Le mieux est d'y poser une assiette sur laquelle le filet d'eau se brisera.

Achète du gravier fin ou du sable de quartz là où tu choisis ton aquarium. Le vendeur t'indiquera la quantité nécessaire. Lave ce produit. Pour cela, laisse couler de l'eau sur le sable ou le gravier versé dans un récipient ; laisse reposer, puis vide l'eau sale, qui contient de la vase, et répète l'opération jusqu'à ce que l'eau reste claire. Ne te sers pas du sable ou des galets d'une plage qui borde la mer, car ceux-ci contiennent du sel qui ferait du tort aux poissons d'eau douce de ton aquarium.

Décide de l'emplacement définitif de l'aquarium avant de l'aménager et d'y faire couler de l'eau. Si tu essayais de le déplacer une fois qu'il est rempli, il se briserait presque certainement.

△ Tu peux ajouter quelques plantes par la suite. Leurs petits pots troués seront enterrés dans le sable ou le gravier et maintenus par des pierres. Les racines pousseront à travers les trous.

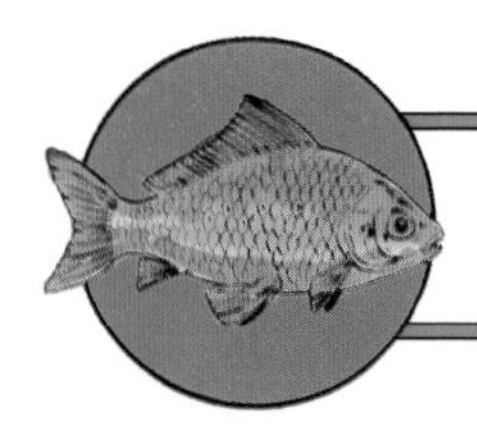

Le choix des poissons

◁ Un grand aquarium peut contenir plusieurs espèces de poissons. De jolies pierres sur le gravier, ou une petite bûche comme celle-ci, agrémentent le décor, tout en procurant aux poissons des cachettes supplémentaires.

▽ Parmi les poissons de cet aquarium, on trouve des guppys, des mollys et des scalaires.

Les poissons d'eau froide de nos régions ont besoin d'une eau fraîche et bien aérée, ce qui est difficile à maintenir dans la maison, sauf avec un très grand aquarium. Il est préférable de les garder à l'extérieur, dans un bassin. Certains poissons étrangers tels que les poissons rouges et les poissons-chats n'ont pas besoin d'eau chauffée. Il en est de même pour les poissons de paradis, mais ceux-ci ne doivent pas être mélangés à d'autres espèces, car ils les attaqueraient.

◁ Les diverses espèces de platys ont des couleurs variées. Ce sont des poissons robustes, sans exigences, mais qui mangent beaucoup de plantes aquatiques.

▷ La tanche est un poisson d'eau froide qui préfère les fonds. Il est très visqueux. Il a parfois été appelé poisson-docteur, parce qu'on pensait que le mucus qui le couvre pouvait guérir un poisson malade.

Les poissons tropicaux que tu peux garder en aquarium sont très nombreux. La plupart sont splendides et ont des mœurs intéressantes. Certains font une sorte de nid pour leurs petits. Chez d'autres espèces, les parents, ou l'un d'eux seulement, veillent sur les œufs ou les petits poissons qui en sont sortis.

Achète tes poissons dans un magasin qui offre un grand choix. N'oublie pas que les petits poissons deviendront grands. Certains changent de couleur ou de forme au cours de leur croissance et seront moins attirants à l'âge adulte. Renseigne-toi auprès du vendeur.

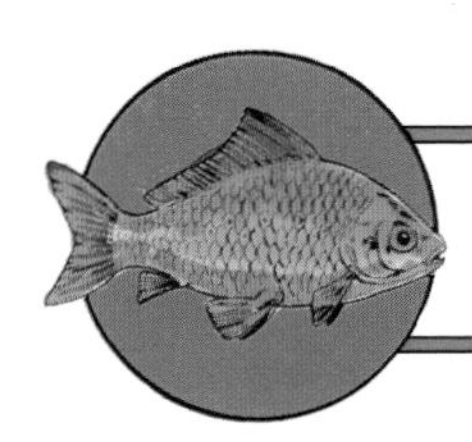

Du magasin à la maison

Si tu gagnes un poisson rouge dans une fête foraine, la pauvre bête souffrira sans doute, car rien n'aura été préparé pour l'accueillir et tu ne sauras peut-être pas comment faire. N'achète tes poissons que lorsque tu es bien renseigné sur eux et que leur aquarium est tout à fait installé. Fais ton achat dans un magasin qui offre un large choix.

De nombreuses espèces de poissons

▽ Dans un magasin bien approvisionné, tu pourras admirer de nombreuses espèces. Le vendeur te conseillera divers poissons dont la taille et le caractère s'accordent et qui ont besoin de la même température.

△ Voici comment transporter tes poissons du magasin à la maison. Surtout s'il fait froid, recouvre les sacs en plastique d'une écharpe bien chaude.

vivent normalement en groupes, appelés bancs. Il est alors préférable d'en acheter plusieurs de la même espèce. Le commerçant attrapera les poissons choisis et mettra chacun d'eux dans un sac en plastique avec un peu d'eau.

Les poissons peuvent rester ainsi sans problème durant un temps assez court. Tu porteras donc ces sacs chez toi le plus rapidement possible. Pour cela, place-les de préférence dans un panier ou une boîte tapissée d'une étoffe chaude, une écharpe par exemple, qui les protégera du froid et des chocs.

Les poissons auront moins peur dans le noir : pour que leur voyage soit moins pénible, recouvre aussi le panier.

▷ Ces gouramis dorés auront sans doute besoin d'une période d'adaptation. Au début, ils pourraient se montrer agressifs envers les autres poissons de l'aquarium, mais, finalement, ils s'apprivoiseront eux aussi.

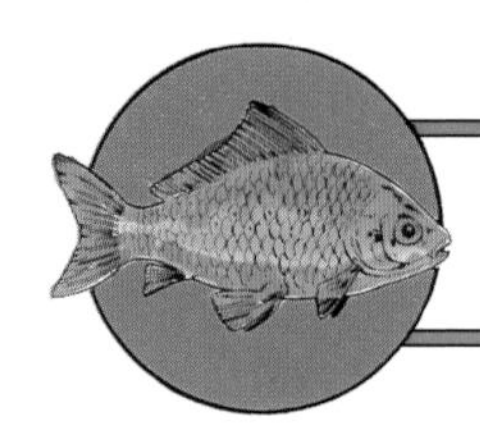

L'installation des poissons

Quand tu arrives chez toi, ne te précipite pas pour vider les sacs dans l'aquarium. Place les sacs, toujours fermés, dans l'eau. Comme ils contiennent aussi de l'air, ils flotteront à la surface. Au bout d'une demi-heure environ, l'eau des sacs aura pris la température de l'aquarium. Tu peux alors ouvrir les sacs et laisser les poissons s'échapper et commencer à explorer leur nouveau domicile.

◁ Pour ajouter de nouveaux poissons dans l'aquarium, cette fillette fait flotter les sacs contenant les arrivants à la surface de l'aquarium. Le changement de température de leur eau se fait ainsi assez lentement. Elle pourra ensuite libérer les nouveaux poissons.

Tout d'abord effrayés, ils chercheront un abri et n'en sortiront pas, même pour manger. Il arrive que leurs couleurs pâlissent. Ne frappe pas du doigt contre l'aquarium dans l'espoir de les attirer dans un espace dégagé : ils auraient encore plus peur et pendant plus longtemps. Sois donc patient avec eux.

Si les poissons sont en bonne santé et si l'aquarium est bien aménagé, ils s'adapteront bientôt. Ils ont aussi plus de chance de rester en bonne santé s'ils peuvent s'habituer tranquillement au changement d'environnement.

△ Dans cet aquarium bien étudié et aménagé, l'environnement est équilibré et la température convenable, l'aération et la nourriture suffisantes, et les poissons ont divers coins pour se cacher ou préparer un nid.

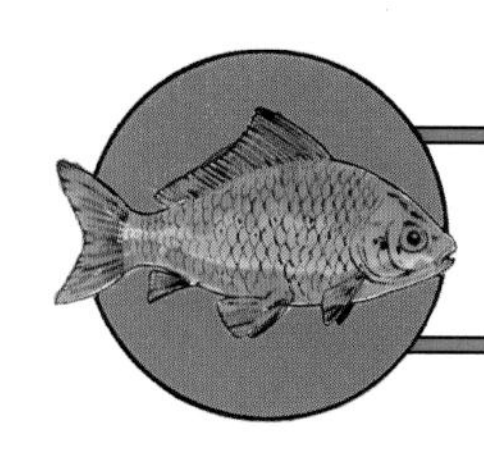

L'alimentation des poissons

△ La plupart des aliments secs que tu peux acheter dans les magasins spécialisés sont sous forme de granules, de flocons ou de poudre. Tes poissons mangeront sans doute aussi des plantes de l'aquarium.

En liberté, les poissons passent une grande partie de leur temps à la recherche de nourriture, principalement de plantes et d'animaux minuscules. La nourriture que tu leur offriras doit se rapprocher le plus possible de leur régime naturel.

Tu leur donneras à manger une à deux fois par jour, mais de très petites quantités, car des poissons en aquarium n'ont pas à dépenser beaucoup d'énergie pour chercher leur nourriture. De plus, tout aliment qui n'est pas mangé rapidement se corrompt : les bactéries nocives qui s'y développent donneraient à l'eau une odeur désagréable et pourraient rendre tes poissons malades.

La nourriture sèche, sous forme de granules, de flocons ou de poudre, est excellente et très pratique. Si tu as des poissons qui vivent à des profondeurs différentes, contrôle si la nourriture arrive à la portée de tous. La daphnie, ou puce d'eau, vivante ou séchée, constitue une nourriture recherchée. Si tu en trouves difficilement, des crevettes ou certains vers peuvent la remplacer.

Une daphnie (agrandie)

▷ Les poissons d'aquarium n'ont besoin que de très peu de nourriture. Au début, un adulte peut t'aider à trouver quelle est la quantité qui convient. Une petite pincée par jour suffit normalement. Si tu en donnes plus, non seulement le surplus sera perdu, mais, en outre, il pourrait rendre tes poissons malades.

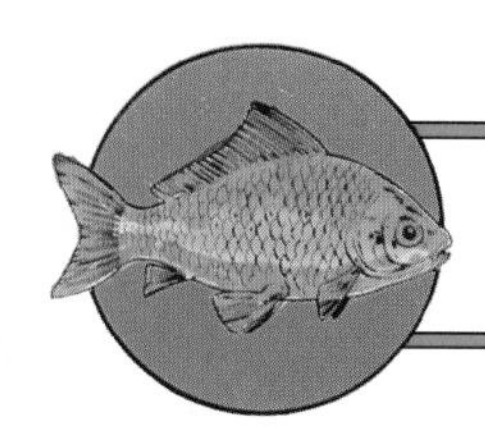

L'entretien de l'aquarium

Les restes de nourriture, les plantes mortes et les divers déchets forment une sorte de vase brune qui doit être enlevée du fond. Le filtre empêchera la formation d'une trop grande quantité de vase, mais tu devras aspirer avec un siphon les morceaux trop grands pour être captés par le filtre.

◁ L'aquarium ne doit pas être vidé souvent. Heureusement, car cela représente beaucoup de travail ! Il faut pêcher les poissons avec une épuisette et les mettre dans un autre bac pour toute la durée du nettoyage, puis les replacer dans l'aquarium dès que possible. Pour le nettoyage, n'utilise pas d'eau de Javel ou tout autre produit de ce genre. Veille à ne pas frotter trop fort les parois de l'aquarium : tu pourrais les griffer ou les rendre mates.

△ Normalement, il suffit que tu contrôles si les filtres sont propres. Si des algues poussent sur les parois, tu peux les gratter au moyen d'une raclette à lame montée sur un long manche, comme ci-dessus.

△ Un siphon comme celui-ci est facile à utiliser et très efficace pour aspirer les morceaux de nourriture ou les déchets qui se sont déposés sur le fond. Vérifie que l'eau siphonnée coule bien dans le seau, et pas à côté ! N'oublie pas de remplacer dans l'aquarium la quantité d'eau que tu en as enlevée.

Si l'aquarium reçoit beaucoup de lumière directe, de minuscules plantes vertes — des algues — vont s'y développer : elles rendent l'eau trouble et verdâtre et commencent à couvrir les parois. Pour nettoyer celles-ci, utilise une raclette spéciale à manche ou une éponge à récurer en nylon. Si l'eau est très verte, enlève les poissons et vide l'aquarium : tu pourras alors le nettoyer à fond. Ne le remplis ensuite qu'avec de l'eau qui a reposé quelques jours.

Pour éviter que ces algues ne se développent à nouveau de façon exagérée, obscurcis un côté de l'aquarium au moyen d'un carton épais. Tu peux y peindre une scène aquatique pour rendre ce fond plus attrayant.

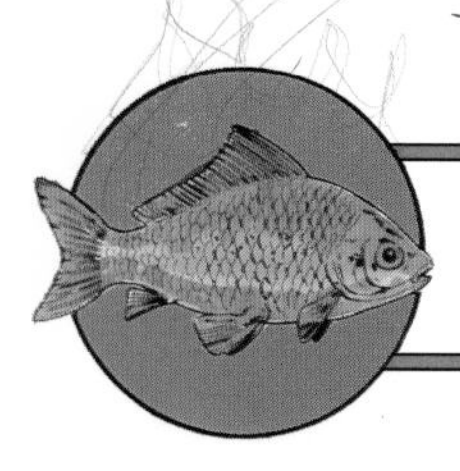

La santé de tes poissons

△ Ce poisson rouge est infesté par des parasites, fixés à son corps.

Dans la nature, les poissons ne vivent pas en grand nombre dans un petit espace, comme c'est le cas dans un aquarium. Pour cette raison, les poissons d'aquarium sont exposés à de nombreuses maladies qui se propagent très vite. Tu dois les observer souvent pour remarquer immédiatement le moindre signe de maladie. Un poisson qui ne te paraît pas normal doit être isolé aussitôt dans un bac-hôpital où il sera soigné.

Certains poissons querelleurs peuvent se battre entre eux ou attaquer des es-

◁ Les queues-de-voile et les orandas ont fréquemment des problèmes de vessie natatoire. Ils ont alors le ventre ballonné et perdent l'équilibre.

pèces plus pacifiques. La plupart du temps, les blessures sont légères, mais une simple écaille endommagée peut entraîner une infection grave.

Les poissons peuvent être atteints par exemple de maladies parasitaires. De minuscules champignons provoquent une sorte de moisissure blanche qui s'étend sur tout le corps du poisson. Place le poisson touché dans un bac d'eau où tu as fait fondre une cuiller à café de sel par litre. De même, si un poisson attrape de petits points pareils à des grains de sel sur la peau, les nageoires et les yeux, isole-le.

Tu trouveras dans les magasins spécialisés des produits à mettre dans l'eau du bac-hôpital pour guérir ces maladies.

△ Ce poisson souffre de constipation. On peut y remédier en lui donnant davantage de nourriture végétale.

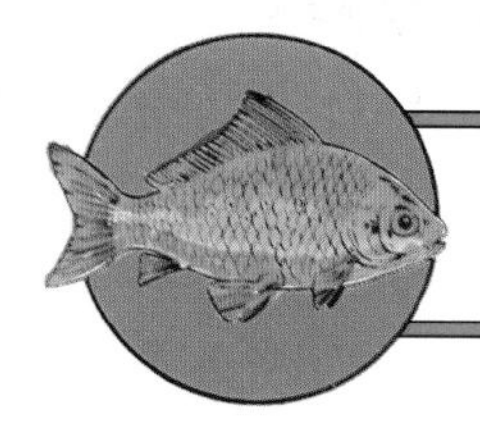

Un sujet d'étude passionnant

Nous sommes habitués à l'idée d'observer des oiseaux ou des mammifères, et peu d'entre nous se rendent compte que l'étude des poissons est tout aussi intéressante. Elle est aussi plus facile, car, dans l'aquarium, les poissons peuvent être observés de près et longuement.

Sois attentif et, bientôt sans doute, tu reconnaîtras chaque poisson de ton aquarium, même lorsque tu en as plusieurs de la même espèce.

Quand un mâle veut faire la cour à une femelle, il se pare de couleurs vives et « danse » devant elle.

▽ Tu apprendras vite à distinguer tes cyprins dorés (ou poissons rouges) les uns des autres, ce qui te permettra d'étudier le comportement de chacun d'eux.

◁ Au printemps, les épinoches mâles ont le ventre rouge. Laisse un seul mâle dans l'aquarium : ce poisson est alors agressif envers les mâles de son espèce.

Pour se reproduire, certains poissons, comme les poissons de paradis, n'ont pas besoin de conditions particulières. Pour d'autres, un territoire doit absolument être réservé à leur famille. Ces poissons doivent être installés alors dans un autre bac, car ils deviennent très batailleurs à l'époque du frai.

Tu peux noter dans un carnet tes observations sur ce que font tes poissons.

△ Tu peux noter dans un carnet, pour chaque espèce qui se trouve dans l'aquarium, la zone dans laquelle ces poissons vivent, l'heure à laquelle ils sont le plus actifs, leur nourriture préférée, leur attitude à l'égard des autres espèces, et bien d'autres choses que tu remarques.

Rappel des points principaux

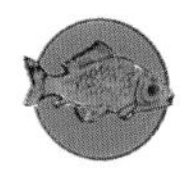

Avant l'achat :

1 Demande la permission à tes parents.
2 Renseigne-toi sur les espèces, pour mieux choisir.
3 Assure-toi que tu as la place voulue pour l'aquarium.
4 Achète aquarium, filtre à eau, sable ou gravier, plantes, nourriture et, si nécessaire, appareils de chauffage et d'éclairage, pompe à air et diffuseur.
5 Prépare l'aquarium et remplis-le d'eau plusieurs jours avant l'achat des poissons.

Tous les jours :

1 Donne à manger à tes poissons.
2 Siphonne les restes de nourriture et les détritus.
3 Vérifie qu'aucun poisson ne manifeste de signes de maladie. Isole immédiatement tout poisson malade.
4 Contrôle si tu as encore suffisamment de nourriture et achètes-en si nécessaire.

Toutes les trois semaines environ :

1 Nettoie ou remplace la matière filtrante du filtre.
2 Enlève une certaine quantité d'eau de l'aquarium et remplace-la par de l'eau fraîche que tu as laissé reposer pendant quelques jours.

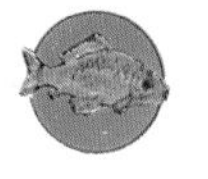

De temps en temps, en cas de besoin :

Effectue un nettoyage complet de l'aquarium.
Commence par mettre les poissons dans un autre bac.
Sans doute devras-tu demander l'aide d'un adulte.

Questions et réponses

Q Est-il possible de garder dans un même bac des poissons tropicaux et des poissons indigènes ?
R Non. Les poissons indigènes seront bien mieux dans l'eau froide d'un bac extérieur ; ils ne peuvent pas être mis dans un aquarium d'eau chaude. Tu ne peux pas non plus mettre des poissons de mer dans de l'eau douce (non salée), car cela les tuerait rapidement.

Q Combien de temps les poissons peuvent-ils vivre ?
R La plupart des petits poissons ne vivent pas plus de deux ou trois ans.

Q Les poissons voient-ils les couleurs ?
R Oui, la plupart les voient aussi bien que nous. Pendant la saison des amours, certains changent de couleurs.

Q Qu'est-ce que le frai ?
R C'est l'époque de la reproduction ; on appelle également frai l'ensemble des œufs pondus par les poissons.

Q Tous les poissons pondent-ils des œufs ?
R Non. Quelques espèces mettent au monde des jeunes déjà éclos et bien formés ; on dit qu'elles sont vivipares. Les autres, qui pondent des œufs, sont dites ovipares.

Q Que faire des poissons au moment des vacances ?
R Lorsque tu pars, le mieux est de demander à tes parents ou à des voisins de nourrir tes poissons, sans les suralimenter, et de vérifier tous les jours si la pompe et le chauffage fonctionnent normalement.

Index